Ron Roy

Illustrations de Nicolas Julo

L'île
invisible

RAGEOT

Cet ouvrage a été imprimé sur un papier
issu de forêts gérées durablement,
de sources contrôlées.

Cet ouvrage a paru sous le titre
The Invisible Island (*A to Z Mysteries*, tome 6).

Cette traduction est publiée avec l'accord de Random House
Children's Books, un département de Random House, Inc.

Traduction : Émilie Éveilleau.
Couverture : Nicolas Julo.

© Ron Roy, 1999.

ISBN : 978-2-7002-4769-5
ISSN : 1951-5758

© RAGEOT-ÉDITEUR – PARIS, 2010-2014,
pour la version française.
Loi n° 49-956 du 16-07-1949 sur les publications
destinées à la jeunesse.

PIQUE-NIQUE MOUVEMENTÉ

Donald David Duncan, 3D pour ses amis, était plongé dans une bande dessinée passionnante quand la sonnerie du téléphone le fit sursauter. Il se précipita pour répondre.

– Allô ? 3D à l'appareil !

– Quand est-ce que tu arrives ? hurla Josh à l'autre bout du fil.

3D éloigna le combiné de son oreille avant de répondre :

– Oh c'est toi Josh, comment ça va ?

– Ça va, ça va. Alors tu viens me chercher ? Ma mère est d'accord pour qu'on aille pique-niquer sur Squaw Island, elle nous a préparé des tonnes de sandwichs !

La chaleur était étouffante en ce jour de juillet, et 3D s'imagina avec bonheur plonger dans les eaux fraîches de l'Indian River.

– OK, je demande la permission à ma mère et je passe prendre Rose. On sera chez toi dans cinq minutes.

Après avoir raccroché, 3D se précipita dans le salon où sa mère faisait de la couture.

– Maman, est-ce que je peux aller pique-niquer au bord de la rivière avec Josh et Rose ?

– Entendu, à condition que vous restiez toujours ensemble.

– Merci maman !

3D enfila un short et mit sa vieille paire de baskets. Il donna à manger à Ladypig, son cochon d'Inde, et se rua dans les escaliers. Comme il dévalait les marches quatre à quatre, il l'entendit pousser des cris de contentement.

Il courut chez Rose.

Cat, la chatte de son amie, était en train d'allaiter ses chatons sur le perron de la maison. 3D stoppa net et les contourna doucement avant d'appuyer sur la sonnette.

La porte s'ouvrit sur le petit frère de Rose, Nat, un morceau de gâteau au chocolat dans chaque main et la bouche pleine d'un troisième.

– Salut Nat, dit 3D. Ta sœur est à la maison ?

– Chais pas chi l'est là, articula Nat en postillonnant des miettes.

Rose apparut à ce moment aux côtés de son frère.

– Nat, finis ton gâteau avant de parler ! Salut 3D ! Quoi de neuf ?

Ce jour-là, Rose, qui s'habillait toujours d'une seule couleur des pieds à la tête, portait un short, un tee-shirt et des baskets du même bleu que le large bandeau qui retenait ses boucles brunes.

– Josh nous invite à pique-niquer sur Squaw Island, lui expliqua 3D.

– Génial ! s'écria Rose.

Elle se tourna vers l'intérieur de la maison et hurla :

– MAMAN, JE PARS PIQUE-NIQUER AVEC LES GARÇONS ! À PLUS TARD !

Puis elle se pencha vers son petit frère pour lui essuyer la bouche :

– Tu restes avec maman, Nat, d'accord ? Je te donnerai un caillou magique à mon retour si tu es bien sage.

Nat lui adressa un sourire au chocolat noir et disparut dans la maison en courant.

Quelques minutes plus tard, Rose et 3D arrivaient dans la cour de la ferme où vivait Josh, leur meilleur ami.

Il était en train d'arroser avec le tuyau du jardin ses petits frères, les jumeaux Brian et Bradley, qui riaient aux éclats.

– Salut ! s'exclama Josh lorsqu'il aperçut Rose et 3D.

Il coupa l'eau avant de dire aux jumeaux :

– J'y vais ! Ne sortez pas de la cour, OK ?

Il attrapa son sac à dos posé sur le porche.

– J'espère que vous avez faim, parce que ma mère nous a préparé des sandwichs, des cookies, des tartelettes aux fruits, des…

– Juste de quoi te rassasier quelques minutes, se moqua gentiment 3D.

Les trois amis traversèrent le champ qui s'étendait derrière chez Josh, puis River Road et gagnèrent l'Indian River. Elle était bordée d'arbres et de buissons dans lesquels s'ébattaient des oiseaux et des écureuils.

Tout en tentant d'éloigner les moustiques, ils longèrent la rivière jusqu'à Squaw Island. La petite île se dressait au beau milieu du lit de la rivière. Sur ses berges, pas trace d'arbres ni d'animaux, mais du sable et des buissons touffus. Josh, Rose et 3D adoraient sa plage aux eaux transparentes et peu profondes.

Ils gardèrent leurs baskets pour traverser et eurent bientôt de l'eau jusqu'aux genoux.

— Ah ! ça fait du bien ! s'écria 3D en sentant l'eau fraîche caresser ses jambes. Pas vrai Rose ?

Et il commença à l'arroser. Mais Rose, en l'arrosant à son tour, éclaboussa Josh qui répliqua aussitôt en l'aspergeant copieusement.

Quand ils atteignirent l'île quelques minutes plus tard, ils étaient trempés de la tête aux pieds et leurs vêtements leur collaient à la peau.

– À table ! clama Josh en sortant de son sac à dos des sandwichs, des tranches de pastèque et des cookies.

Observant les alentours, il ajouta :

– Je me demande quel effet cela ferait de s'échouer sur cette île.

3D déballa un sandwich avant de rétorquer :

– Comment veux-tu que quelqu'un s'échoue sur Squaw Island alors qu'il suffit de patauger dans cinquante centimètres d'eau pour regagner Smalltown ?

– Et si des pirates avaient enterré un trésor sur l'île ? poursuivit Josh d'un air rêveur. On est peut-être assis sur un coffre rempli de pièces d'or !

– Je ne crois pas qu'il y ait jamais eu de pirates dans le Connecticut, observa Rose.

– Pourtant cet endroit serait idéal pour cacher un trésor! s'exclama Josh en désignant les rochers qui s'élevaient au centre de l'île.

– Et si on partait en exploration? proposa 3D.

– Bonne idée, dit Rose en se levant avec souplesse. Mais avant je dois trouver un caillou magique pour Nat. Je lui ai promis de lui en rapporter un pour sa collection.

– Qu'est-ce que c'est, au juste, un caillou magique? l'interrogea 3D.

– En voilà un, lui répondit-elle en ramassant un galet parfaitement lisse, d'un blanc immaculé.

– Qu'est-ce qu'il a de magique ?
s'étonna 3D.

– Il se transforme en pièce de 50
cents si sa chambre est bien rangée,
répondit Rose.

Josh les rejoignit en mâchonnant un
cookie :

– Et Nat y croit ?

– Quand Nat range sa chambre, dit
Rose en souriant, maman remplace
discrètement un des cailloux de sa
collection par une pièce !

– J'adorerais que ma mère fasse la
même chose, soupira Josh. Si je rapporte des cailloux, ça marchera ?

Et il se pencha aussitôt pour en
ramasser un.

– Ça alors ! s'exclama Josh. On n'est pas les premiers à venir ici ! Vous avez vu cette empreinte ? Peut-être que Barbe-Noire le célèbre pirate nous a précédés !

3D plaça son pied dans l'empreinte : elle était deux fois plus grande que sa chaussure.

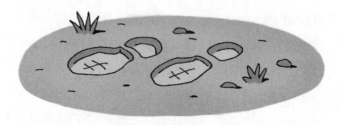

– Barbe-Noire, je n'en sais rien. En tout cas cet explorateur a des pieds immenses !

– Et là, s'écria Rose en tendant le doigt, une autre empreinte ! Et encore une autre !

Ils suivirent les empreintes, qui les conduisirent au centre de l'île. Elles disparaissaient brutalement devant un rocher énorme recouvert de lianes.

— C'est bizarre, s'étonna 3D. Est-ce que Barbe-Noire aurait sauté par-dessus ce rocher ?

— À mon avis, il l'a plutôt contourné, suggéra Josh.

Ils examinèrent attentivement les alentours, à la recherche de nouvelles empreintes.

Soudain, Rose hurla :

— Eh les garçons ! Venez vite !!!

3D et Josh se précipitèrent vers elle.

– Regardez ce que je viens de trouver !

Elle désignait un papier sur le sable, un papier vert.

– Qu'est-ce que c'est ? demanda Josh, les yeux écarquillés.

– DE L'ARGENT ! s'écria Rose.

UN MYSTÉRIEUX BILLET VERT

— Dix dollars ! s'étonna Josh en ramassant le billet qu'il brandit à bout de bras.

— Tu te trompes, rétorqua 3D en s'emparant du billet, recompte les zéros !

Josh les recompta et resta bouche bée tandis que les yeux bleus de Rose s'agrandissaient de surprise.

— Cent dollars ! s'étouffa Josh.

Il tendit la main en direction du billet mais 3D, plus rapide que lui, l'avait déjà rendu à Rose.

– Ce billet lui appartient, c'est elle qui l'a trouvé.

– Je me demande qui l'a perdu, dit Rose en fourrant le billet dans une de ses poches.

– Barbe-Noire? suggéra 3D en désignant les empreintes dans le sable.

Ils les contemplèrent en silence jusqu'à ce que Josh s'exclame :

– Il en a peut-être perdu d'autres. Cherchons !

Ils escaladèrent des rochers, fouillèrent sous les branches basses des buissons. De longues lianes de sumac vénéneux[1] couraient sur le sol, mais ils ne trouvèrent pas d'autre billet.

---

1. Plante sauvage dont le contact avec la peau provoque des démangeaisons.

– Venez voir ! lança 3D qui avait regagné le rivage.

Quand Josh et Rose le rejoignirent, il désigna une longue traînée régulière dans le sable.

– Quelqu'un est venu ici en barque et a tiré son embarcation sur la plage, déclara Rose.

– Je me demande si les empreintes de pas appartiennent à cette personne, s'interrogea 3D.

– … et si c'est elle qui a perdu ce billet de cent dollars, compléta Josh.

– En tout cas, réfléchit Rose, il va falloir qu'on la retrouve.

– Mais pourquoi ? s'étonna Josh. On pourrait s'offrir plein de choses avec cet argent, même si on le partage entre nous !

– Impossible, Josh, répliqua Rose. Cet argent n'est pas à nous, on doit le rendre à son propriétaire.

– Et comment va-t-on le retrouver ?

Ils s'assirent côte à côte sur le sable pour réfléchir à la question.

– Si on allait à la boutique de Ron ? proposa Rose. Il sait peut-être qui est venu sur l'île récemment.

– Bonne idée ! approuva 3D.

— Eh bien, soupira Josh en se relevant, vous êtes vraiment pressés de vous débarrasser de cet argent…

— Si c'était toi qui l'avais perdu, tu serais content qu'on te le rapporte, non?

— Crois-moi, Rose, si j'avais en ma possession un billet de cent dollars, je ne l'égarerais sûrement pas! rétorqua Josh. Bon, si on mangeait la pastèque que ma mère nous a préparée avant d'aller voir Ron, cette découverte m'a creusé l'appétit.

Ils regagnèrent la rive et dégustèrent la pastèque sucrée et juteuse en se bombardant de pépins, puis ils remballèrent les restes du pique-nique.

– Remarquez, si on rend cet argent à la personne qui l'a perdu, nos noms seront peut-être cités dans le journal, reprit Josh en soulevant son sac à dos. Et on deviendra célèbres.

Il se gratta les mollets avant d'ajouter :

– Peut-être même qu'on touchera une récompense !

– En attendant de devenir riche et célèbre, Josh, tu devrais arrêter de te gratter ! conseilla Rose.

LA PETITE ANNONCE DE ROSE

Quelques minutes plus tard, Rose, Josh et 3D remontaient River Road en direction du magasin de Ron, leurs baskets trempées couinant à chaque pas.

Ron Fishboat habitait au premier étage d'une vieille maison bâtie près de l'Indian River. Au rez-de-chaussée, il vendait du matériel de pêche et quelques articles d'épicerie.

Il réparait à l'occasion les moteurs de bateaux et repeignait les coques.

Quand ils arrivèrent, un chat tigré se prélassait sur les marches du perron. Ils suivirent la rallonge électrique qui sortait par la porte d'entrée, descendait les escaliers, courait le long de la façade et disparaissait à l'angle de la maison. Au bout de la rallonge, ils trouvèrent Ron, une ponceuse à la main, qui était en train de décaper la coque d'une barque.

— Bonjour Ron, cria 3D.

Ron Fishboat éteignit sa machine et se redressa. Il était grand et blond. Sa barbe bouclée mangeait son visage.

— Bonjour les enfants. Quelle chaleur, hein ? Vous rentrez de balade ?

— Oui, on est allés pique-niquer sur Squaw Island et j'ai trouvé ça ! dit Rose en sortant le billet de sa poche.

— Cent dollars, ça alors ! s'exclama Ron. Tu en as de la chance !

— On a aussi découvert les traces d'un bateau à fond plat qui avait été tiré sur la plage, poursuivit 3D d'un air mystérieux.

— Et des empreintes de pas, intervint Josh. De très grandes empreintes !

— Nous pensons que cet argent a été perdu par la personne qui a laissé ces traces, expliqua Rose.

— Je me demande qui ça peut être, s'interrogea Ron en s'appuyant contre la coque retournée. Personne ne va sur cette île, elle est envahie de sumacs vénéneux !

– Je ne vous le fais pas dire ! se plaignit Josh en se grattant la jambe.

Ron lui sourit :

– Moi, il me suffit de regarder quelques secondes ces maudites plantes pour avoir de l'urticaire !

– Ron, est-ce qu'on pourrait mettre une annonce dans votre boutique pour retrouver la personne qui a perdu cet argent ? lui demanda Rose.

– Bonne idée, petite. Je l'accrocherai à côté de mes boîtes d'asticots.

Les trois amis suivirent Ron dans sa boutique. Il tendit un crayon et un bloc-notes à Rose qui réfléchit un instant avant d'écrire :

Si vous avez perdu de l'argent
sur Squaw Island,
merci d'appeler au 555-9916.

– Tu ne précises pas le montant du billet que tu as trouvé ? s'étonna Josh.

– Si je le précisais, n'importe qui appellerait en prétendant qu'il s'agit de son argent, expliqua Rose.

Ron punaisa la feuille de papier sur un petit panneau.

– Ici, tous mes clients verront ton annonce, lui assura-t-il.

– Merci, Ron. J'espère surtout qu'elle sera lue par la personne qui a perdu ce billet.

– Si seulement ça pouvait être moi ! répliqua-t-il en souriant.

– Alors Rose, qu'est-ce que tu vas faire de l'argent en attendant que quelqu'un le réclame ? s'enquit Josh tandis qu'ils se dirigeaient vers Bull Street. Si tu veux, je le garde pour toi !

– Tu peux toujours rêver, Josh, rétorqua Rose. Je vais le confier au policier Right pour qu'il le conserve au commissariat. Vous m'accompagnez, tous les deux ?

Josh se gratta le bras puis suggéra :

– À condition qu'on s'arrête d'abord au *Funfood*. Je suis sûr qu'un sunday débordant de chantilly calmera ces fichues démangeaisons !

Ils descendirent Main Street d'un bon pas.

Quand ils pénétrèrent dans le restaurant d'Ellie, l'air climatisé leur fit oublier en un instant la chaleur suffocante qui régnait au-dehors.

Ils commandèrent chacun une glace, puis Rose demanda à Ellie si un de ses clients s'était plaint d'avoir perdu de l'argent sur Squaw Island.

– Quelqu'un avec de très grands pieds, précisa 3D.

Ellie s'étonna.

– Mais voyons, Rose, personne ne va jamais sur cette île ! Elle est couverte de sumacs.

Elle fixa Josh qui frottait ses mollets sans cesse et ajouta :

– On dirait d'ailleurs que vous êtes déjà au courant ! Tu devrais cesser de te gratter, Josh, et mettre de la crème apaisante.

Leurs cornets de glace à la main, Josh, Rose et 3D prirent le chemin du commissariat.

— Je n'arrive pas à croire qu'on va perdre cent dollars ! se lamenta Josh.

— Si je touche une récompense, je la partagerai avec vous, lui promit Rose pour le réconforter.

Le policier Right s'épongeait le front tout en sirotant un verre de limonade fraîche quand ils pénétrèrent dans son bureau.

— Bonjour les enfants ! Qu'est-ce que je peux faire pour vous ?

– Nous avons trouvé ceci, déclara Rose en déposant le billet de cent dollars devant l'officier.

Le policier Right s'en empara et s'exclama tout en l'examinant :

– Et où l'avez-vous trouvé ?

– Sur Squaw Island, expliqua Josh. On est allés pique-niquer là-bas. Le billet était près de la rive, sur le sable.

– J'aimerais retrouver la personne qui l'a perdu pour le lui rendre, reprit Rose. Ron m'a autorisée à mettre une annonce dans sa boutique. J'ai laissé mon numéro de téléphone.

– Il y a de fortes probabilités que ce billet ait été perdu il y a longtemps, remarqua le policier Right. Squaw Island est un endroit peu fréquenté.

Il ajouta, après un instant de réflexion :

– Si personne ne réclame cet argent d'ici un mois, il est à toi, Rose.

– Vraiment ? Génial ! s'écria-t-elle en adressant un clin d'œil à Josh.

Le policier glissa le billet dans une enveloppe qu'il referma soigneusement avant d'y inscrire la date, le nom de Rose et de la ranger dans le coffre-fort du commissariat.

– Rose, tu es presque riche… lâcha Josh comme ils sortaient du commissariat. Tu partageras vraiment les cent dollars avec nous si tu les récupères ?

– Peut-être… Si vous êtes gentils avec moi !

– Mais je suis toujours gentil avec toi ! protesta Josh.

– Prouve-le alors. Demain, viens tondre la pelouse de mon jardin.

– Pas question ! J'ai une meilleure idée. Si on retournait sur l'île chercher d'autres billets ?

– On a déjà cherché, Josh, et on n'a rien trouvé, lui rappela 3D.

– Mais on n'a pas découvert où menaient les traces de pas, rétorqua Josh. Et je suis prêt à parier qu'elles conduisent tout droit au trésor.

– Tu oublies le sumac vénéneux, on dirait…

– Bof, ce ne sont pas quelques brûlures qui m'empêcheront de retourner sur Squaw Island, affirma Josh en se grattant de plus belle. Moi, j'y vais demain, et j'emporte une pelle.

Il se tourna vers ses amis :

– Si vous ne m'accompagnez pas, tant pis pour vous. Si je déterre le trésor, je le garderai pour moi tout seul !

EXPÉDITION DANS LE BROUILLARD

Le lendemain matin, 3D regarda par la fenêtre de la cuisine en bâillant et murmura :

– Quel brouillard ! Je suis sûr que Josh a abandonné l'idée d'aller à la recherche du trésor.

Il venait de terminer ses céréales et posait son bol dans l'évier lorsqu'on sonna à la porte.

Josh se tenait sur le perron, l'air décidé, une pelle à la main.

– Salut 3D, prêt à partir à la chasse au trésor ?

– Avec ce brouillard ? s'étonna 3D. On va avoir du mal à trouver l'île, alors un trésor…

– S'il y a de l'argent sur cette île, je te garantis que je le dénicherai, brouillard ou pas ! répliqua Josh. Viens, on va chercher Rose.

– Je suis là ! s'écria leur amie en sortant de la brume. Mais… tu te grattes encore, Josh ? Tu devrais mettre de la crème.

– Je sais, répliqua Josh agacé. Ellie me l'a déjà dit. Ma mère aussi. Elle m'a même donné de l'argent pour que j'en achète à la pharmacie. Bon, on y va ? Tu nous accompagnes 3D ?

– D'accord, je vous suis. Mais à une condition : si on trouve un trésor, je compte sur toi pour m'en donner la moitié !

Sa pelle sur l'épaule, Josh se mit à la tête de la petite troupe. Ils prirent un raccourci par le jardin de Rose puis traversèrent Valley Road.

Le brouillard s'épaississait au fur et à mesure qu'ils approchaient de la rivière.

– Je ne crois pas que ce soit une très bonne idée de chercher un trésor aujourd'hui, on ne voit pas à un mètre, marmonna 3D.

– On est arrivés, déclara Josh en frappant la surface de l'eau avec sa pelle, la rivière est à nos pieds.

– Et l'île, où est Squaw Island ? s'inquiéta Rose.

Tous trois scrutèrent le brouillard.

– Elle se trouve par là, dit Josh en avançant d'un pas déterminé. Suivez-moi, l'odeur de la fortune me guide sur le bon chemin.

– Quel fin limier ! se moqua 3D.

La rivière s'écoulait sans bruit. Pas un oiseau ne chantait. Des lambeaux de brume recouvraient l'île.

Tandis qu'ils traversaient l'Indian River, un monstre des marais pourvu de tentacules verts et visqueux et de dents longues comme des sabres se glissa dans l'imagination de 3D, qui accéléra le pas et poussa un soupir de soulagement lorsqu'ils atteignirent enfin la plage.

– J'espère que le brouillard va se dissiper ! Cet endroit est sinistre aujourd'hui, remarqua Rose en frissonnant.

– Oui, dépêchons-nous de mettre la main sur le trésor ! ajouta 3D. Bon, Josh, par où veux-tu commencer tes recherches ?

Josh s'agenouilla et déclara :

– Il faudrait d'abord retrouver les empreintes de pas.

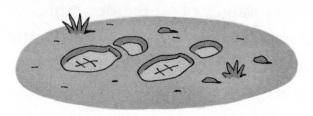

Dès qu'ils les virent, ils les suivirent jusqu'à l'énorme rocher couvert de sumacs vénéneux qu'ils avaient découvert la veille.

– Par où Grands-Pieds a-t-il bien pu passer ? marmonna Josh.

– C'est impossible qu'il ait traversé ce rocher, observa 3D.

Josh le sonda avec sa pelle. Il rendit un son mat mais quand la pelle s'abattit pour la seconde fois, elle s'enfonça dans le vide.

– Je crois que j'ai trouvé un chemin !
s'exclama-t-il.

Il repoussa les sumacs avec sa pelle
et s'avança.

– Il n'y a pas un rocher, il y en a deux,
annonça-t-il d'une voix surexcitée.

– Avec un passage entre eux, ajouta
Rose.

– Grands-Pieds s'est sûrement fau-
filé par là, déclara 3D.

– Malgré les plantes piquantes ?
s'étonna Rose.

– OK, OK, laissez-moi faire,
ordonna Josh avec autorité.

À l'aide de sa pelle, Josh dégagea le chemin et ils s'y engagèrent en file indienne. Ils débouchèrent bientôt dans une petite clairière tapissée de sable et cernée de rochers envahis de lianes de sumac exubérantes.

– Quelle jungle ! s'exclama Rose.

– Tiens, de nouvelles empreintes ! Josh s'agenouilla.

– Ce sont les mêmes que celles que nous avons vues sur la plage, déclara-t-il. Le trésor ne doit plus être très loin. Qui commence à creuser ?

– Pas moi, répondit Rose.

– Ni moi, ajouta 3D.

– C'est d'accord, ronchonna Josh, je commence. Mais si vous voulez qu'on partage le trésor, vous avez intérêt à prendre le relais !

Ils creusèrent chacun leur tour. Ils furent rapidement couverts de sueur et de sable.

Rose trouva un clou rouillé, 3D une vieille canette mais aucune trace d'un trésor.

Épuisé, 3D s'adossait contre un des rochers pour se reposer quand Rose hurla :

– 3D, attention !

3D s'éloigna d'un bond du rocher et sentit quelque chose s'agripper à son tee-shirt.

— Au secours ! s'écria-t-il. Un monstre m'attaque !

Josh déclara en souriant :

— Mais non, c'est juste une liane.

— Et ça t'amuse ?! s'emporta 3D. Retirez-moi ça tout de suite.

— Calme-toi, je m'occupe de terrasser le monstre, lui dit Rose.

— Ça y est ? Il est mort ? s'inquiéta 3D en se contorsionnant pour apercevoir ce qui se passait dans son dos.

– Ça alors ! s'exclama Rose. Josh, regarde.

– Incroyable ! renchérit son ami. Vraiment incroyable !

– Qu'est-ce qui se passe ? cria 3D.

Son dos commençait déjà à le démanger.

– Ces plantes sont en plastique, annonça triomphalement Rose.

– Quoi ? dit 3D en se retournant d'un coup.

Rose lui tendit une liane qu'il examina de près.

– Tu as raison… balbutia 3D, que son dos tout à coup ne démangeait plus. C'est bizarre.

– Ça, pour être bizarre, c'est bizarre ! approuva Josh.

Il saisit à pleines mains les lianes de sumacs qui couvraient le rocher puis tira d'un coup sec : elles glissèrent sur le sol.

– Le rocher était caché par un filet couvert de sumacs en plastique ! s'exclama Rose.

– Et ce n'est pas un rocher, compléta Josh. Regardez !

Ils se trouvaient face à un énorme cube de béton.

LE COFFRE AU TRÉSOR

— Ça alors ! Qu'est-ce que c'est ? s'exclamèrent en chœur 3D et Rose.

— On dirait un réfrigérateur géant, réfléchit Josh. Je me demande ce qu'il y a à l'intérieur.

Rose éclata de rire.

— Sûrement des milliers de pots de beurre de cacahuète, des crèmes glacées recouvertes de caramel…

— Ah ah ! Très drôle ! rétorqua Josh.

Il se hissa au sommet du cube.

– Une grosse boîte en béton, voilà ce que c'est ! s'exclama-t-il, déçu. Et je suis sûr qu'il n'y a rien à manger à l'intérieur !

– Est-ce que vous pensez qu'il y a une porte ? demanda Rose en sondant les parois.

3D fit glisser ses doigts le long des arêtes du cube.

– Il n'y a pas de gonds en tout cas.

Il donna une poussée sur la paroi, mais rien ne se produisit.

– Il doit y avoir une serrure quelque part, suggéra Rose.

– J'ai trouvé ! se réjouit Josh, tou-jours perché au sommet du bloc.

Il se pencha vers ses amis et leur cria :

– Montez vite !

3D et Rose se hissèrent à côté de Josh.

– Regardez ! leur dit-il en désignant une tige métallique plantée dans le ciment.

– Essaie de tirer dessus, proposa 3D.

Josh s'exécuta. Sans succès.

– Rien ne bouge, marmonna-t-il.

– Laisse-moi essayer, suggéra Rose.

Mais elle eut beau pousser sur la tige métallique, elle n'obtint pas plus de résultats que Josh.

– Pourtant, je suis sûr que c'est ce mécanisme qui permet d'ouvrir la porte, s'énerva 3D.

Il descendit du bloc de ciment, s'empara de la pelle et la tendit à Josh.

– Essaie de taper dessus.

Josh brandit la pelle et l'abattit sur la tige en métal. Un grincement strident s'éleva.

– Waouh! ça marche! hurla 3D en faisant un bond en arrière. La paroi s'ouvre!

Une petite pièce sombre apparut…
3D fit un pas en avant puis s'arrêta
net, bouche bée.

– Qu'y a-t-il à l'intérieur ? lui
demanda Josh du haut de son per-
choir. Raconte !

Celui-ci ne répondit pas.

– 3D ? appela Rose. Tout va bien ?
3D déglutit et tenta de parler.

– Il y a dela, dela, dela…

– Dela quoi ? s'impatienta Josh.
3D avait le souffle coupé, pourtant il
finit par articuler :

– De l'argent ! Beaucoup d'argent !

UNE RÉVÉLATION INATTENDUE

Josh et Rose se laissèrent glisser à terre et pénétrèrent à leur tour dans le cube.

L'intérieur ressemblait à un coffre-fort de banque. Sur des étagères en métal, des liasses de billets verts étaient empilées.

– Il y a sûrement des millions de dollars là-dedans! s'exclama Josh.

Puis il ferma les yeux et déclara :

– Je crois que je vais m'évanouir.

– Mais à qui appartient tout cet argent ? s'interrogea Rose. Qui l'a caché ici ? Et ces cartons, qu'est-ce qu'ils contiennent ?

– De la nourriture pour chiens sûrement, suggéra 3D. Regarde ce qui est inscrit dessus : HAPPY DOG FOOD.

– Perdu ! annonça Rose en ouvrant l'un des cartons. Il est rempli de liasses de billets.

Soudain 3D se retourna et chuchota :

– Chut, j'ai entendu du bruit !

Ils se figèrent aussitôt, et écoutèrent attentivement.

– Tu as rêvé, 3D.

– Non, ça recommence !

Un grincement étouffé leur parvint à travers le brouillard, bientôt suivi d'un autre grincement.

3D avala péniblement sa salive.

– Le bruit se rapproche ! murmura-t-il.

– Ce s-sont p-peut-être les pi-pirates, balbutia Josh.

– Ou Grands-Pieds qui vient cher-cher son trésor, ajouta Rose d'une voix tremblante.

– Filons d'ici, ordonna 3D. Vite ! Aidez-moi à tout remettre en place !

Josh referma le coffre pendant que 3D et Rose recouvraient le cube avec la bâche de camouflage. Puis ils remontèrent en courant le sentier qui serpentait entre les rochers. Une fois parvenus sur la plage, tous trois s'immobilisèrent.

Le grincement retentit à nouveau.

Lentement, une petite barque émergea du brouillard. Une haute silhouette sombre était assise à la poupe, courbée sur les rames.

– Il nous a vus! balbutia 3D.

Mais, avant d'atteindre la rive, l'homme commença à ramer en sens inverse et la barque disparut.

– Vite ! Rentrons à Smalltown ! souffla Rose.

Ils traversèrent la rivière le plus discrètement possible tandis que 3D scrutait les alentours.

La barque et son passager mystérieux avaient disparu.

Dix minutes plus tard, ils faisaient irruption avec fracas dans le bureau du policier Right. Celui-ci leva les yeux de son ordinateur et s'étonna :

– Eh bien, que vous arrive-t-il ? On dirait que vous avez aperçu un fantôme ! Et vos baskets sont trempées ! D'où venez-vous ?

– Nous avons trouvé des millions de dollars ! lui annonça Rose d'une voix surexcitée.

Le policier Right haussa un sourcil.

– Elle dit la vérité ! s'écria Josh.

– Vraiment ? Eh bien, asseyez-vous et racontez-moi cette découverte extraordinaire, leur ordonna-t-il.

– Nous sommes retournés sur l'île, commença 3D à peine installé, et nous avons découvert un coffre-fort contenant des montagnes de billets !

Ils décrivirent le sentier secret entre les rochers, la bâche de camouflage et le cube de béton qu'elle dissimulait.

– Au moment où nous allions partir, nous avons aperçu un homme dans une barque, ajouta Josh.

– Il avait l'intention d'accoster mais, quand il nous a vus, il a brusquement fait demi-tour, précisa 3D.

Une lueur d'intérêt s'alluma dans le regard du policier Right qui se redressa sur son siège.

— Est-ce que vous pourriez me le décrire?

— Non, il y avait beaucoup trop de brouillard.

— Mais pourquoi quelqu'un cacherait-il de l'argent sur Squaw Island? interrogea Rose. Pourquoi ne pas le déposer à la banque?

— Parce qu'il ne s'agit pas de véritables billets, lui répondit le policier en la regardant droit dans les yeux.

– Comment ça ? s'étrangla Rose.

– Hier, après votre visite, je me suis souvenu d'un article sur des faussaires paru il y a quelques semaines. J'ai alors examiné attentivement le billet que tu avais trouvé.

Il prit l'enveloppe portant le nom de Rose dans l'un des tiroirs de son bureau et présenta la coupure de cent dollars.

– Ce billet est un faux. Et je pense que tous ceux que vous avez vus dans ce coffre-fort le sont aussi.

– Quoi ? s'étrangla Josh. Vous voulez dire qu'ils ne valent rien ?

– En effet, Josh, répondit le policier avec un sourire gêné. Désolé.

– Mais qui les a cachés sur l'île ? demanda 3D.

– C'est ce que je vais m'employer à découvrir, lui assura le policier.

Il se leva et accompagna 3D, Josh et Rose jusqu'à la porte de son bureau.

– Je vais me rendre sur Squaw Island avec le policier Fair pour voir ce qu'il se passe. Rentrez chez vous maintenant. Et promettez-moi de ne pas retourner sur l'île, les faussaires peuvent être dangereux.

– C'est promis ! s'écrièrent d'une seule voix Rose, Josh et 3D avant de sortir du commissariat.

Ils remontaient tranquillement Main Street quand l'image de l'homme mystérieux à bord de la barque s'imposa à l'esprit de 3D.

Il était certain que l'inconnu les avait vus. Et s'il s'agissait d'un des faussaires? Et si l'homme avait guetté leur départ de l'île et qu'il les ait suivis?

3D déglutit péniblement. Se trouvaient-ils en danger?

JOSH A DES SOUPÇONS

Josh se gratta un genou, puis l'autre. Son coude gauche commença alors à le démanger.

— Je crois que j'ai vraiment besoin de crème apaisante, dit-il.

— Nous sommes tout près du centre commercial, allons à la pharmacie, proposa 3D en jetant un coup d'œil par-dessus son épaule.

– Pourquoi tu te retournes tout le temps ? s'étonna Rose. Ne me dis pas que nous sommes suivis !

– Je n'arrête pas de penser à l'homme dans la barque, il semblait vraiment inquiétant. C'était peut-être un des faux-monnayeurs ?

– Tu crois qu'il nous a vus et qu'il nous aurait suivis ? l'interrogea Josh. Tu sais, il y avait tellement de brouillard qu'il y a peu de risques qu'il ait pu distinguer nos visages.

– J'espère que tu as raison, répondit 3D. Sinon, nous courons un grave danger…

– Merci, 3D ! s'exclama Josh. Grâce à toi, je suis sûr de faire des cauchemars toute la nuit. Entrons vite à la pharmacie pour échapper à notre poursuivant !

En les voyant franchir le seuil, Mme Takecare s'exclama :

— Bonjour les enfants ! Qu'est-ce qu'il vous faut ?

— J'aurais besoin de crème apaisante, expliqua Josh en se grattant frénétiquement le coude gauche.

Mme Takecare quitta son comptoir pour examiner Josh de la tête aux pieds, puis elle déclara :

— On dirait que tu t'es roulé dans les sumacs vénéneux…

Elle repassa derrière le comptoir, prit un tube de pommade sur une étagère et le tendit à Josh.

– Tu as de la chance, précisa-t-elle, c'est mon dernier tube. Ron Fishboat m'en a acheté trois hier. Et surtout, Josh, arrête de te gratter !

Celui-ci leva les yeux au ciel avant de répliquer :

– Oui, oui, je sais…

Josh paya Mme Takecare puis les trois amis sortirent du centre commercial et allèrent s'asseoir sur un banc. Josh commença à s'enduire de crème.

– Pourquoi Ron avait-il besoin de baume calmant ? s'interrogea Rose. Il nous a pourtant assuré qu'il évitait les sumacs vénéneux.

– Et il ne s'est pas gratté une seule fois lorsqu'on l'a vu hier, ajouta 3D d'un air songeur.

Tout à coup, Josh bondit :

– Mais oui, bien sûr ! C'est lui !

– Qui ça, lui ? s'inquiéta 3D en scrutant nerveusement les alentours.

– Le faux-monnayeur ! s'exclama Josh. Pourquoi Ron a-t-il acheté de la crème à ton avis ? Parce qu'il a été piqué par des sumacs vénéneux ! Et pourquoi a-t-il été piqué par des sumacs vénéneux ? Parce qu'il a été sur Squaw Island, où il stocke ses faux billets !

— Les sumacs vénéneux ne poussent pas seulement sur Squaw Island, observa 3D en hochant la tête. Ron a pu se faire piquer n'importe où.

— Je me demande où il cache sa presse à imprimer des faux billets... poursuivit Josh.

— Tu délires ! intervint Rose.

— Vous ne voyez pas que c'est le scénario parfait ? s'enthousiasma Josh. Sa boutique est une couverture. En fait, Ron fabrique des faux billets.

— Tu racontes n'importe quoi, lui reprocha 3D. Ce n'est pas parce que Ron a acheté de la crème apaisante que c'est un faux-monnayeur.

— Pas la peine de me regarder comme ça, je ne suis pas fou ! déclara Josh. Tous les indices concordent. Ron est très grand, non ? Alors il a forcément des grands pieds.

Rose voulut intervenir mais Josh ne lui en laissa pas le temps.

— Il vit au bord de la rivière, il a donc des bateaux à sa disposition. Il sait que Squaw Island est l'endroit idéal pour cacher de l'argent. Non, je suis sûr que ma théorie est la bonne. Le faux-monnayeur ne peut être que lui !

— Ron est notre ami et je n'arrive pas à croire que ce soit un malfaiteur.

– J'ai du mal à le croire aussi, approuva 3D.

– Eh bien pas moi ! s'exclama Josh en étalant de la crème sur son ventre. Allons le voir pour vérifier s'il a été en contact avec des sumacs vénéneux.

– Et comment veux-tu qu'on s'y prenne ? lui demanda Rose.

– Il a acheté TROIS tubes de crème apaisante, rétorqua Josh. Il brillera de la tête aux pieds !

– D'accord, retournons au magasin de Ron. Vous vérifiez s'il a rencontré des sumacs vénéneux, et moi je vérifie s'il a des grands pieds, conclut 3D.

UN ÉTRANGE VISITEUR

– Tu avais raison au moins sur un point, chuchota Rose à l'oreille de Josh, Ron a de grands pieds, de très grands pieds !

– Oui, ils sont grands, mais pas autant que les immenses empreintes que nous avons découvertes sur la plage de Squaw Island, murmura 3D d'un air songeur.

Dissimulés derrière des buissons près du magasin d'articles de pêche, Josh, Rose et 3D observaient Ron Fishboat occupé à poncer une petite barque verte.

– La barque! s'exclama Josh. C'est celle qu'on a aperçue ce matin.

– Tu as raison. Mais je ne vois aucune trace de crème sur la peau de Ron, observa 3D, et il ne s'est pas gratté une seule fois depuis qu'on l'espionne.

À cet instant, une Lincoln noire se gara près du magasin. Ron adressa un signe de la main à l'homme vêtu d'un costume sombre qui apparaissait.

Ce dernier répondit à son salut, se pencha vers le siège passager et sortit de sa voiture en portant un carton sur lequel on pouvait lire : HAPPY DOG FOOD.

Josh manqua s'étrangler.

– Vous avez vu le carton ? lança-t-il, surexcité.

– Chut ! lui ordonna Rose.

L'homme remit le carton à Ron, qui l'emporta dans son atelier.

Il en ressortit bientôt, portant toujours le même carton qu'il rendit à l'inconnu. Celui-ci le posa avec délicatesse sur le siège passager de sa voiture avant d'extraire de sa poche un carnet de chèques.

Il en remplit un rapidement puis le tendit à Ron.

Enfin, il remonta dans sa voiture et démarra sur les chapeaux de roues.

– Vite ! s'écria Josh. Il faut qu'on aille prévenir le policier Right ! Ron vient de vendre à cet homme un carton entier de faux billets !

– Il pourrait aussi bien contenir des boîtes de nourriture pour chien, lui fit remarquer 3D.

– Voyons, 3D, réfléchis. Les faux billets de Squaw Island sont cachés dans des boîtes en carton comme celle qu'on vient de repérer, donc l'un de ces deux hommes est forcément le faux-monnayeur.

– Josh n'a pas tort, approuva Rose. Mais avant qu'on prévienne la police, il vaudrait mieux découvrir l'identité du mystérieux inconnu qui conduisait la Lincoln noire.

– Et comment comptes-tu t'y prendre ? lui demanda 3D.

– On pourrait rendre visite à monsieur Fixcar, le garagiste, suggéra Rose. Il sait certainement à qui appartient cette voiture.

Lorsque les trois amis pénétrèrent dans le garage de M. Fixcar, il n'y avait personne.

Un sifflotement joyeux leur parvint soudain. Il les guida jusqu'à une vieille camionnette rouge à l'avant embouti. Le garagiste restait toutefois invisible.

– Monsieur Fixcar? appela 3D. Hou hou! Vous êtes là?

Un visage rond et couvert de cambouis émergea soudain de sous la camionnette.

– Bonjour les enfants ! Que me vaut votre visite ? Vous avez un problème de voiture ? plaisanta M. Fixcar.

– Eh bien, oui, en quelque sorte, concéda Rose. Nous aimerions retrouver le conducteur d'une Lincoln noire.

M. Fixcar se leva et entreprit de se frotter les mains avec un chiffon.

– Et pour quelles raisons ?

– J'ai trouvé de l'argent, expliqua Rose, et je crois qu'il lui appartient.

– Il s'agit sûrement de monsieur Banknote. J'ai changé les bougies encrassées de sa Lincoln il y a une semaine. Il loue une maison dans Fox Lane depuis peu.

– Fox Lane ! répéta 3D en échangeant un regard avec Josh. C'est près de la rivière, non ?

– Parfaitement, confirma M. Fixcar avec un large sourire. De là-bas, on a une magnifique vue sur Squaw Island. Bon, il faut que j'y retourne : cette vieille camionnette a besoin de toute mon attention !

— On sait qui est l'homme au costume, dit 3D en sortant du garage. Malheureusement, on n'a toujours aucune preuve permettant d'affirmer qu'il s'agit du faux-monnayeur.

— Si, le carton, déclara Josh.

— On ne sait pas ce qu'il contenait, lui rappela 3D.

— Et si on allait faire un tour chez monsieur Banknote ? proposa Rose. On pourra peut-être jeter un œil au contenu de ce carton.

— Pas d'imprudence ! dit 3D. Je n'ai pas envie d'être enlevé par une bande de faux-monnayeurs et d'être enfermé dans le coffre-fort de Squaw Island !

DÉCOUVERTES DANS UNE CABANE

Fox Lane était une petite rue étroite qui ne comptait que trois maisons. La dernière d'entre elles disparaissait parmi les arbres et les buissons qui l'entouraient. Quand ils arrivèrent, un oiseau poussa un piaillement, puis le silence retomba.

Josh donna un coup de coude à 3D.

– La Lincoln, murmura-t-il. Elle est garée là-bas sous les arbres !

Ils se faufilèrent jusqu'au véhicule pour observer l'habitacle. Il n'y avait aucune trace d'un carton HAPPY DOG FOOD.

— Il a dû l'emporter à l'intérieur de la maison, supposa 3D en s'accroupissant entre Rose et Josh.

— Qu'est-ce qu'on fait, maintenant? demanda Josh.

— On entre, rétorqua Rose.

— Comment ça?

— On sonne à la porte et on dit qu'on vend des cookies pour la fête de l'école.

— On est un peu grands pour vendre des cookies! s'insurgea Josh.

— Très bien. Alors, j'irai toute seule, répliqua Rose.

— Pas question, protesta 3D. Si les Banknote sont des faux-monnayeurs, ils sont sûrement dangereux!

– Et si on retournait plutôt chez moi ? proposa Josh. C'est bientôt l'heure du goûter. On pourrait se préparer des tartines de Nutella.

Soudain, la porte d'entrée de la maison s'ouvrit, livrant le passage à un basset blanc et marron aux longues oreilles et aux grands yeux tristes qui se dandina jusqu'au perron.

– Ne t'éloigne pas, Dog ! ordonna une voix.

– Oh oh, chuchota Josh, nous avons de la visite.

– Partons d'ici avant que ce chien de garde nous repère ! murmura Rose.

Tous les trois se dissimulèrent derrière une haie qui bordait la maison et progressèrent à pas de loup vers le fond du jardin.

À cet instant, le chien aboya. Rose se retourna et s'écria :

— Oh non ! Il arrive !

— Et si on se cachait là-dedans ? proposa 3D en désignant le petit garage qui se dressait à l'arrière de la maison.

— Bonne idée !

Ils se précipitèrent vers le garage. Josh tenta d'ouvrir la porte mais elle était fermée à clé. 3D s'approcha de la fenêtre à guillotine, souleva le panneau et lança à ses amis :

— Par ici ! Vite !

Le chien était déjà sur leurs talons, la truffe collée au sol.

— Qu'est-ce qu'il est mignon, murmura Josh.

– Ce n'est pas le moment de l'ad-mirer. Tous aux abris ! ordonna 3D avant de plonger tête la première par la fenêtre.

Josh et Rose plongèrent à sa suite. Dehors, les aboiements du chien redoublèrent. Josh se releva et ferma la fenêtre. Le chien se mit à gratter la vitre avec ses griffes.

– Cachons-nous ! dit 3D. Les Banknote vont sans doute venir véri-fier pourquoi il aboie si fort.

Ils jetèrent un rapide regard autour d'eux. Un établi installé contre un mur disparaissait sous du bric-à-brac. En face, une bâche de plastique recou-vrait des étagères.

Pendant que Josh et Rose se faufilaient sous l'établi, 3D se glissa derrière la bâche.

Soudain, les aboiements du chien cessèrent, et 3D entendit des pas approcher…

Il souleva doucement l'un des coins de la bâche et, le souffle court, jeta un coup d'œil en direction de la fenêtre. À travers la vitre, il distingua la silhouette d'une femme. Elle se pencha pour attraper le collier du chien et l'entraîna vers la maison.

3D attendit quelques instants pour s'assurer qu'elle ne revenait pas puis il sortit de sa cachette, imité par Josh et Rose.

– On a eu chaud ! souffla-t-elle tandis que 3D observait le garage.

Soudain, il s'écria :

– Un carton HAPPY DOG FOOD ! Là, sur l'établi ! C'est peut-être celui que monsieur Banknote a récupéré tout à l'heure chez Ron.

Il l'ouvrit, mais n'y découvrit qu'un pot de peinture verte à moitié vide.

– Vous vous souvenez de la barque que Ron ponçait ? Elle était verte.

Il brandit le pot de peinture et suggéra à ses copains :

– Peut-être que cette barque appartient à monsieur Banknote et qu'il a demandé à Ron de la repeindre. Voici ce qu'il reste de peinture.

– Et c'est pour payer ce travail que monsieur Banknote a fait un chèque à Ron, poursuivit Rose.

Elle fouilla dans le carton et en sortit un papier qu'elle défroissa.

– C'est un ticket de caisse de la pharmacie. Pour trois tubes de crème.

3D observa le ticket. Il y était écrit : *réglé par Ron Fishboat.*

– Et vous n'avez pas encore tout vu, déclara Josh, qui fouinait de l'autre côté du garage.

Il désigna deux paires de cuissardes en caoutchouc suspendues.

– La pointure de ces cuissardes me rappelle quelque chose...

3D s'approcha pour les observer.

– Tu as raison, s'exclama-t-il. Elle correspond aux empreintes de bottes que nous avons vues sur l'île.

Rose examina l'une des semelles et découvrit de minuscules cailloux et du sable dans les rainures.

– Cette fois, on va tout raconter au policier Right, décida 3D avant de s'approcher sur la pointe des pieds de la fenêtre du garage.

Il observa les alentours à travers la vitre.

– Hum hum… Il y a un léger problème. Madame Banknote est en train d'allumer le barbecue.

– Super ! grommela Josh. Quand je pense que je suis bloqué ici alors que je meurs de faim.

– Et ce n'est pas tout ! s'exclama 3D.

Rose et Josh se précipitèrent à la fenêtre.

Une silhouette de haute taille se dirigeait vers le barbecue. C'était l'homme qu'ils avaient vu dans le magasin de Ron. Il avait quitté son costume sombre et portait un short et un tee-shirt.

Ses jambes et ses bras nus étaient couverts de crème…

ÉVASION

Rose laissa échapper un petit cri de surprise.

— C'est cet homme qui a été piqué par les sumacs vénéneux sur Squaw Island. La crème lui était destinée !

— Mais c'est Ron qui l'a payée, insista Josh. Je suis toujours convaincu qu'ils sont complices.

3D jeta un nouveau coup d'œil par la fenêtre du garage.

– Monsieur Banknote lit le journal, chuchota-t-il, et madame Banknote prépare des hamburgers.

– Est-ce que le chien est avec eux? demanda Josh.

– Oui.

– Si on tente de s'échapper, il va sûrement aboyer, observa Rose.

– Ces hamburgers sentent drôlement bon! soupira Josh.

– Oublie les hamburgers et trouve un moyen de nous faire sortir d'ici, ordonna 3D.

– D'accord, répondit Josh.

Il poussa 3D et prit sa place près de la fenêtre.

Une longue minute s'écoula avant qu'il ne déclare :

– J'ai un plan.

– Enfin ! s'exclama 3D.

– Lequel ? questionna Rose.

– Nous allons suggérer aux Banknote de venir faire un petit tour dans leur garage, répondit Josh.

– Les sumacs vénéneux t'ont abîmé le cerveau, Josh, lança Rose.

– Pas du tout. On va faire le plus de bruit possible pour alerter les Banknote et leur chien. Ils vont se précipiter ici et…

– … et nous surprendre dans leur garage, conclut 3D.

Josh lui adressa un sourire malicieux.

– Non ! Parce qu'on se sera enfuis par la fenêtre avant qu'ils n'entrent.

– OK, ça peut marcher. Mais il s'agit de les retenir ici le plus de secondes possible pour qu'on ait le temps de s'échapper.

– J'ai une idée ! s'écria Rose en se dirigeant vers l'établi. Il faut que je trouve de quoi écrire…

– Qu'est-ce que tu veux écrire, au juste ? s'inquiéta Josh.

– Ah ah, tu vas voir ! fit Rose en s'emparant d'un morceau de craie dans une boîte à outils.

Elle s'agenouilla et traça sur le sol le message suivant :

> *Rendez-vous*
> *sur Squaw Island*
> *dans une heure sinon je parlerai*
> *des faux billets à la police.*
>
> Rose

— Mais ils vont vider le coffre-fort et quitter la ville ! s'exclama 3D.

— Exactement ! Seulement, le policier Right sera là pour les intercepter, affirma Rose.

Josh saisit un marteau.

— 3D, donne-moi quelque chose sur quoi taper et préparez-vous à sortir !

— D'accord !

— Je surveille les Banknote, proposa Rose en se postant à la fenêtre.

3D fouilla la pièce des yeux, puis se dirigea vers la bâche derrière laquelle il s'était caché. Il la tira d'un coup sec et laissa échapper un sifflement discret.

Josh et Rose accoururent. Leurs yeux s'arrondirent de surprise en découvrant sur les étagères quatre cartons portant la marque HAPPY DOG FOOD.

3D en ouvrit un et dit :

– Pas trace de billets. Il n'y a que des boîtes de pâtée pour chien.

– Monsieur Banknote utilise peut-être les cartons vides pour transporter les faux billets, supposa Rose.

3D remarqua alors un seau dans un coin du garage.

– Josh, est-ce que ce seau te conviendrait pour attirer l'attention des Banknote ?

– Parfait ! Préparez-vous, le concert va commencer !

3D ouvrit la fenêtre et Rose se posta près de lui.

– Vas-y Josh ! lança 3D.

Josh prit une grande inspiration puis se mit à frapper à coups redoublés sur le seau avec le marteau. Un vacarme assourdissant emplit le garage.

– Sauve qui peut ! s'écria Josh en lâchant le marteau.

Et il se rua vers la fenêtre à la suite de Rose et 3D.

Une fois dehors, ils s'accroupirent dans les hautes herbes qui s'élevaient le long du mur.

Quelques secondes plus tard, ils entendirent une clé tourner dans la serrure et la porte du garage s'ouvrir en grinçant…

M. Banknote ordonna :

– Au pied, Dog !

Puis Mme Banknote s'exclama :

– Willy, quelqu'un est entré ici ! Regarde, un message est écrit sur le sol.

Josh, Rose et 3D n'entendirent pas un mot de plus. Ils détalèrent dans la rue.

Deux minutes plus tard ils traversaient le terrain de sport du lycée et couraient vers Main Street.

– J'espère de tout mon cœur que le policier Right est au commissariat, lança 3D à bout de souffle.

Le policier Right se trouvait bien à son poste quand ils firent irruption dans son bureau sans frapper, rouges comme des écrevisses.

Il se redressa.

– Qu'est-ce que…

– Nous avons démasqué les faux-monnayeurs ! crièrent-ils d'une seule voix.

L'ARRESTATION

Les trois amis commencèrent à raconter leurs aventures au policier en se coupant sans arrêt la parole.

Ce dernier n'attendit pas la fin de leur récit pour décrocher son téléphone et alerter son collègue.

– Ne retournez chez les Banknote sous aucun prétexte ! leur ordonna-t-il avant de quitter le bureau en hâte pour rejoindre le policier Fair.

– Il n'y a pas de raison que nous soyons exclus de la résolution de cette affaire, protesta Rose dès qu'ils furent seuls. Allons voir ce qui se passe.

– Et où veux-tu qu'on aille ? questionna Josh. Le policier Right nous a interdit de…

– On n'a aucune raison de retourner chez les Banknote, intervint 3D. C'est sur Squaw Island qu'il va y avoir de l'action !

Quelques minutes plus tard, hors d'haleine, ils s'immobilisaient près de la voiture des policiers garée face à Squaw Island. Le brouillard s'était levé et l'île était visible depuis le rivage.

3D la scruta avec attention mais ne distingua rien d'autre que du sable et des rochers. Épuisé, Josh se laissa tomber par terre.

– Je crois que je vais avoir une crise cardiaque, gémit-il.

– Vous êtes sûrs que le policier Right est là-bas ? interrogea Rose en plissant les yeux. Je ne vois personne.

Ils s'assirent à l'ombre de la voiture. Soudain, Josh se leva d'un bond.

– Les voilà ! cria-t-il.

Trois silhouettes venaient d'apparaître sur la rive de l'île. L'une d'elles portait un uniforme sombre.

Elles étaient suivies d'une quatrième personne qui tirait une petite barque à fond plat.

– Ce sont les policiers Right et Fair, chuchota 3D. Ils ont arrêté les Banknote.

3D, Josh et Rose les regardèrent s'approcher.

— Et la barque est remplie de billets et de cartons de nourriture pour chien, ajouta Josh.

Personne ne dit mot quand le policier Right et les Banknote, chaussés des cuissardes en caoutchouc que les trois amis avaient repérées dans le garage, abordèrent le rivage.

Le policier Fair tira la barque au sec et entreprit d'empiler les faux billets dans le coffre de la voiture.

Le policier Right fit entrer les Banknote à l'arrière du véhicule et referma soigneusement les portes.

– Bon travail, les enfants, les félicita-t-il. Rentrez vite chez vous maintenant. Josh, je passerai chez toi d'ici une heure pour voir tes parents.

– D'accord. À tout à l'heure !

Les deux policiers ôtèrent leurs chaussures trempées et montèrent dans la voiture qui disparut à toute allure, laissant derrière elle un nuage de poussière.

– Pourquoi le policier Right veut-il parler à tes parents ? demanda 3D à Josh. Tu as fabriqué des faux billets ?

– Je me demande si la nourriture est bonne en prison, le taquina Rose à son tour.

3D tapota le ventre de Josh et reprit :

— Il paraît qu'on sert aux prison-
niers des sandwichs aux vers de terre
au déjeuner.

— Ah, ah, ah ! Vous êtes drôles !
répliqua Josh. À mon avis, le policier
Right veut sûrement me récompenser
pour avoir démasqué les Banknote.

— Mais tu ne les as pas démasqués
tout seul ! s'indigna Rose. On a résolu
cette affaire ensemble.

— Bien sûr, Rose, seulement nous
savons tous les trois que je suis la tête
pensante de l'équipe, répondit Josh
avec un sourire malicieux.

Ils coupèrent à travers champs pour rejoindre la maison de Josh. Quand ils arrivèrent, Josh ouvrit la porte et hurla :

– Hello ! Il y a quelqu'un ?

Comme personne ne répondait, Josh proposa à ses amis :

– Et si on goûtait en attendant le policier Right ? Toutes ces émotions m'ont ouvert l'appétit.

LA RÉCOMPENSE DE JOSH

Peu après, ils dégustaient des tartines à la confiture dans le jardin de Josh en sirotant du lait-fraise.

— Je me demande où les Banknote fabriquaient leurs faux billets, dit 3D. Vous pensez qu'ils possèdent un atelier chez eux?

Josh posa son sandwich d'un air malin et observa, songeur :

– Moi, je me demande quel effet ça fait de fabriquer autant de billets qu'on en veut…

À ce moment, une voiture s'engagea dans l'allée et klaxonna. Une portière claqua, puis le policier Right contourna la maison pour les rejoindre.

– Pourrais-tu m'offrir un verre de lait, Josh? demanda-t-il. Je meurs de soif.

– Bien sûr!

Josh remplit un gobelet et le tendit au policier, qui le but d'un trait.

– Les Banknote sont sous les verrous mais ils refusent d'avouer. Quand ils se décideront à parler, je suis prêt à parier qu'on apprendra qu'ils sont de simples intermédiaires. Les malfaiteurs qui impriment ces billets de cent dollars courent toujours.

— Mais pourquoi les Banknote ont-ils caché les billets sur Squaw Island ? s'étonna Josh.

— Parce que l'île est peu fréquentée, expliqua le policier Right, et que, grâce à leur barque entreposée chez Ron, ils pouvaient l'atteindre en quelques minutes.

— Au début on a cru que Ron était leur complice, admit 3D.

— Les apparences pouvaient le laisser croire, déclara le policier. J'ai discuté avec Ron. Il m'a appris que monsieur Banknote lui avait demandé de repeindre sa barque. Je suppose qu'il vous avait aperçus sur l'île et qu'il craignait que vous reconnaissiez son embarcation.

– Pourquoi Ron a-t-il acheté de la crème apaisante ? interrogea Josh.

– Ron avait remarqué que monsieur Banknote se grattait, expliqua le policier. Il lui a procuré de la crème pour lui rendre service. D'ailleurs, je vois qu'elle est efficace, tu ne te grattes plus, Josh.

Le policier Right observa la grange des Pinto puis se tourna vers Josh :

– Est-ce qu'il y a des animaux de compagnie chez toi ?

– Non. Les jumeaux et moi on aimerait avoir un poney, mais papa dit que c'est trop de travail.

– Tu aimerais avoir un chien ? J'ai recueilli un gentil basset qui cherche un nouveau maître.

– C'est vrai ? répondit Josh, le regard plein d'espoir.

– Peut-être le moment est-il venu pour vous de faire connaissance, suggéra le policier.

Il appela son collègue Fair qui apparut alors au coin de la maison en tenant un chien court sur pattes au bout d'une laisse.

– C'est Dog ! s'écria Rose.

– Vous connaissez ce chien ? s'étonna le policier Right.

– Il est sorti de chez les Banknote quand nous sommes allés les espionner, expliqua 3D. À cause de lui, ils ont bien failli nous trouver.

Le policier Right caressa les oreilles veloutées du chien et reprit :

– Ses maîtres risquent de rester longtemps en prison et il a besoin d'une nouvelle maison.

Josh s'agenouilla et caressa la fourrure soyeuse de Dog.

– Alors, mon chien, ça te plairait de vivre ici ?

Le basset lui lécha la main, puis s'allongea à ses pieds.

– Il m'aime bien ! s'exclama Josh.

– J'étais sûr qu'il t'adopterait, confia le policier Right.

Il plaça la laisse entre les mains de Josh et regagna sa voiture en compagnie du policier Fair.

– N'oublie pas de dire à tes parents de me passer un coup de fil à leur retour ! lança-t-il avant de démarrer.

– Merci ! cria Josh.

Il se tourna vers ses amis, songeur.

– Je me demande comment je vais l'appeler…

– Il a déjà un nom, Josh, lui rappela Rose. Il s'appelle Dog.

– Ce nom n'est vraiment pas original, protesta Josh en secouant la tête.

– Josh a raison, intervint 3D. Je suis sûr qu'on peut trouver mieux.

Quand les parents de Josh rentrèrent une heure plus tard, les trois amis n'avaient toujours pas trouvé.

Josh parvint sans difficulté à convaincre ses parents de garder Dog. Malgré leurs efforts, ils ne lui trouvèrent pas de nom plus original.

Ce soir-là, quand Josh se pencha sur son nouveau compagnon allongé au pied de son lit, il murmura :

— Tu sais, Dog, finalement je crois que ton nom te va très bien. Alors bonne nuit. Fais de beaux rêves.

Dog émit un petit aboiement d'approbation et s'endormit paisiblement près de son nouveau maître.

TABLE DES MATIÈRES

─○ L'AUTEUR

Ron Roy est né à Hartford, sur la côte est des États-Unis. Il a longtemps été professeur des écoles. Il écrit tous les matins et parfois l'après-midi.

Comme les héros de « Mystère Mystère », il adore les animaux et il a un chien qui s'appelle Pal. Il aime se promener, nager, faire la cuisine et voyager dans le monde entier. Le vert brocoli est sa couleur préférée.

L'ILLUSTRATEUR

Nicolas Julo est né en 1966 à Paris. Dès qu'il a su tenir un crayon, il a décidé de devenir illustrateur.

Il vit près de Chambéry. Là, entre deux dessins, il pratique l'escalade, la spéléologie, et aime les balades avec ses enfants.

Les histoires qu'il préfère privilégient l'humour et l'imagination.

Retrouve 3D, Josh et Rose
pour de nouvelles enquêtes dans :

ÉTRANGES DISPARITIONS

Qui a volé le canari de Mme Bird, le perroquet de Mme Rainforest et le chat de Rose ?

Les trois amis font le guet pour découvrir les responsables de ces disparitions.

UN FANTÔME AU MANOIR

Invités au bord de la mer par Wallis Wallace dans un manoir inquiétant, 3D, Josh et Rose entendent des hurlements déchirants.

Qui hante ce lieu ?

UNE BALEINE SUR LA PLAGE
DE SAINT-MALO

Bleues ou blanches, créatures de rêve ou mastodontes impressionnants, les baleines nous invitent à suivre leur sillage à la découverte des mers du monde.

Onze histoires courtes pour rejoindre le large.

MON CHAT, MES COPINES ET MOI

Barbara aimerait entrer dans la bande des « A », celle d'Alicia, Aude et Alizée, qui adorent la mode et les chats. Mais elle doit relooker son chat, Raoûl, rondouillard et casanier.

Comment le faire maigrir ?

UNE POTION MAGIQUE
POUR LA MAÎTRESSE

Mademoiselle Grisard, la sévère maîtresse de Léo, est devenue bizarre. Aurait-elle goûté la potion magique inventée par oncle Théo ?

Retrouvez la collection
Rageot Romans
sur le site www.rageot.fr

RAGEOT s'engage pour l'environnement en réduisant l'empreinte carbone de ses livres. Celle de cet exemplaire est de : 399 g éq. CO$_2$
Rendez-vous sur www.rageot-durable.fr

PAPIER À BASE DE FIBRES CERTIFIÉES

Achevé d'imprimer en France en avril 2014
sur les presses de l'imprimerie Hérissey
Dépôt légal : mai 2014
N° d'édition : 6051 - 01
N° d'impression : 122253